The Storyte

El cuentacuentos

Paz Rodero/Viví Escrivá

Tales in Two Languages   Cuentos en dos idiomas

Laredo Publishing
a division of NTC/Contemporary Publishing Group
Lincolnwood, IL USA

There once was a storyteller named Ramiro who traveled from town to town telling stories to children.

Ramiro would unfold a large sheet of paper full of marvelous pictures. Then he would tell scary animal stories about evil wolves, ferocious dragons, lazy turtles, and wild lions. He warned that all animals were dangerous and hurt children.

The animals in Ramiro's stories were very sad because they always played the role of the bad guy.

Había una vez un cuentacuentos llamado Ramiro, que iba de pueblo en pueblo contando historias a los niños.

Primero, Ramiro extendía un papel muy grande lleno de bonitos dibujos y luego contaba cosas terribles sobre lobos malvados, dragones feroces, tortugas perezosas y leones salvajes. Decía que todos los animales eran peligrosos y que lastimaban a los niños.

Los animales de los cuentos que contaba Ramiro se sentían muy tristes porque siempre tenían que hacer de malos.

One night all the animals gathered together to discuss the situation.

"I can't stand it!" said the wolf. "I would never eat a child. I am not a bad guy."

"Me neither," interrupted the gorilla. "I am strong, but I would never harm children."

Una noche, los animales se reunieron para hablar de la situación:

—¡Esto no hay quien lo aguante! —dijo el lobo—. Jamás me comería a un niño. Yo no soy malo...

—Yo tampoco —interrumpió el gorila—. Yo soy fuerte pero nunca haría daño a los niños.

After talking all night, the animals decided to take a long vacation.

"Let's go far away," said the lion, "to a place where Ramiro won't find us."

"That's a good idea," said the turtle. "We'll go to a deserted island. I know a very lovely one where I can take you."

Después de discutir toda la noche, los animales decidieron tomarse unas largas vacaciones.

—Podemos ir muy lejos —dijo el león—, a un lugar donde Ramiro no pueda encontrarnos.

—¡Qué buena idea! —dijo la tortuga—. Nos iremos a una isla desierta. Conozco una muy bonita donde puedo llevarles.

At dawn they all went to the beach, where they found an abandoned boat. Then the dragon said, "This boat will take us to the lovely island."

Al amanecer, se fueron todos a la playa. Allí encontraron una barca abandonada. Entonces, el dragón dijo:

—Esta barca nos llevará a la isla.

"After we repair it a bit," said the rabbit.

"No problem," interrupted the bear. "Let's get some wooden planks. It will be easy!"

They all began to patch up the old abandoned boat. When it was fixed, they left a note for Ramiro that said:

—Pero antes tendremos que arreglarla un poco —dijo el conejo.

—¡Está bien! —interrumpió el oso—. Traigan algunas tablas de madera. ¡Será muy fácil!

Y todos se pusieron a reparar la vieja barca abandonada. Cuando la arreglaron, dejaron una nota a Ramiro que decía así:

"We have decided to leave for a deserted island. We're fed up with your telling children that animals are mean. Good-bye. Your animal friends."

"Hemos decidido marcharnos a una isla desierta. Estamos hartos de que digas a los niños que los animales somos malos. Adiós. Tus amigos los animales".

Ramiro read the animals' note. At first he was not too concerned. He figured he could continue telling his scary stories without the help of the animals. But when he unfolded his paper full of marvelous pictures, he realized his animal friends were missing. Suddenly he didn't know what to say.

As time passed, Ramiro felt more and more lonely. He missed his animal friends. Without them, life was dull and he was unable to invent any new stories.

Ramiro leyó la nota pero no le importó demasiado. Pensó que podía seguir contando sus terribles historias sin la ayuda de los animales. Pero cuando extendió el papel lleno de dibujitos, vio que no había animales y no supo qué decir.

A medida que pasaba el tiempo, Ramiro se sentía cada vez más solo. Echaba de menos a sus amigos. Sin ellos, la vida era muy aburrida y no podía inventar ninguna historia.

In the meantime, the animals had arrived at the island. They loved it and quickly made themselves at home.

It was a splendid island!

Mientras tanto, los animales llegaron a la isla. Les gustó mucho el lugar y se instalaron cómodamente.

¡Era una isla magnífica!

The turtle swam round and round in the water. The raven and the wolf played ball. The dragon leaped from tree to tree. The lion put on sunglasses to protect his eyes from the sun. He spent hours sleeping in the shade of a palm tree.

"This is what I call living!" said the gorilla, swinging from branch to branch. "I really like this island!"

La tortuga nadaba de aquí para allá. El cuervo y el lobo jugaban al balón. El dragón brincaba de árbol en árbol. El león se puso unas gafas oscuras para protegerse del sol y se pasaba las horas durmiendo bajo la sombra de una palmera.

—¡Esto es vida! —decía el gorila columpiándose en las ramas de las palmeras —. ¡Me gusta esta isla!

Meanwhile, Ramiro missed his friends more than ever. One day, he wrote a letter that said: "*I feel lonely. If you come back, I promise to stop saying mean things about you. Ramiro.*"

Pero Ramiro echaba de menos a sus amigos más que nunca. Un día, les escribió una carta que decía así: *"Me siento solo. Si regresan, les prometo no volver a decir nada malo de ustedes. Ramiro"*.

Ramiro folded the letter into a bottle and tossed it into the sea. The bottle floated across the sea. One day the animals found it and read the letter. They were very happy and set out on their return journey. They realized they had missed their lonely friend Ramiro.

Ramiro metió la carta en una botella y la echó al mar. La botella flotó en el mar hasta que un buen día los animales la encontraron. Leyeron la carta y se pusieron muy contentos. Emprendieron el viaje de vuelta. Se dieron cuenta que ellos también echaban de menos a su solitario amigo Ramiro.

But the animals took a long time to return. Ramiro grew more and more desperate. He went to the beach every night, hoping to see them arrive. He stared across the wide ocean and saw nothing. Ramiro gave up hope of ever seeing his friends again.

"I will have to find another job," he thought. "Never again will I entertain children with my stories!"

Pero los animales tardaban mucho en regresar. Ramiro estaba cada vez más desesperado. Iba todas las noches a la playa para ver si les veía llegar. Miraba fijamente el océano pero no veía nada. Ramiro perdió la esperanza de volverles a ver.

—¡Tendré que buscarme otro trabajo! —pensaba Ramiro—. ¡Ya no podré divertir a los niños con mis historias!

Then one day his friends appeared at last, suntanned and carrying their backpacks. Overjoyed to see them, Ramiro ran to greet them.

Por fin, un buen día aparecieron sus amigos cargando sus mochilas y bronceados por el sol. Al verles, Ramiro se puso muy contento y corrió a recibirles.

The next day, Ramiro gave his friends a welcome-home party. During the feast, they told jokes and funny stories about their adventures on the island. The animals were very happy because from that day on, Ramiro never again told terrible animal stories.

If you read one, write him a letter!

Al día siguiente, Ramiro dio una fiesta de bienvenida a sus amigos. Durante el festejo, todos contaron chistes y cuentos divertidos de sus aventuras en la isla. Los animales estaban muy contentos porque a partir de aquel día Ramiro no volvió a contar historias terribles sobre ellos.

Si lees alguna, ¡escríbele una carta!